THIS BOOK BELONGS TO:

CONTACT INFORMATION	
NAME:	
ADDRESS:	
PHONE:	

Dedication

This Christmas Card Address Book is dedicated to people who want to organizer their Christmas mailing list. Preparing and organizing will help you enjoy the holidays more and allow you to keep accurate details.

You are my inspiration for producing this book and I'm honored to be a part of your record-keeping and holiday preparations.

How to Use this Book

This Christmas Card Address Book will help guide you by accurately recording your mailing list and tracking cards sent and cards received.

Here are examples of tracking and prompts for you to fill in and write the details of your experience: Christmas gift checklist, greeting card address list, Christmas card tracker.

Fill in the following information:

1. Christmas Card Check List

2. Greeting Card Address List - Fill in name, address, email, a checklist for cards, gifts, sent and received.

3. Supply Checklist - Greeting cards, envelopes, postage stamps, address labels, envelope seals.

4. Christmas Gift Checklist - Record name, gift, sent, budget, cost, and total.

Greeting Card Address List

O GREETING CARDS	O ENVELOPES	O POSTAGE STAMPS	O ADDRESS LABELS	O ENVELOPE SEALS

NAME		o CARD
ADDRESS		o GIFT
		o SENT
EMAIL		o RECEIVED

NAME		o CARD
ADDRESS		o GIFT
		o SENT
EMAIL		o RECEIVED

NAME		o CARD
ADDRESS		o GIFT
		o SENT
EMAIL		o RECEIVED

NAME		o CARD
ADDRESS		o GIFT
		o SENT
EMAIL		o RECEIVED

NAME		o CARD
ADDRESS		o GIFT
		o SENT
EMAIL		o RECEIVED

NAME		o CARD
ADDRESS		o GIFT
		o SENT
EMAIL		o RECEIVED

NAME		o CARD
ADDRESS		o GIFT
		o SENT
EMAIL		o RECEIVED

Greeting Card Address List

O GREETING CARDS	O ENVELOPES	O POSTAGE STAMPS	O ADDRESS LABELS	O ENVELOPE SEALS

NAME		o CARD
ADDRESS		o GIFT
		o SENT
EMAIL		o RECEIVED

NAME		o CARD
ADDRESS		o GIFT
		o SENT
EMAIL		o RECEIVED

NAME		o CARD
ADDRESS		o GIFT
		o SENT
EMAIL		o RECEIVED

NAME		o CARD
ADDRESS		o GIFT
		o SENT
EMAIL		o RECEIVED

NAME		o CARD
ADDRESS		o GIFT
		o SENT
EMAIL		o RECEIVED

NAME		o CARD
ADDRESS		o GIFT
		o SENT
EMAIL		o RECEIVED

NAME		o CARD
ADDRESS		o GIFT
		o SENT
EMAIL		o RECEIVED

Greeting Card Address List

O GREETING CARDS	O ENVELOPES	O POSTAGE STAMPS	O ADDRESS LABELS	O ENVELOPE SEALS

NAME		o CARD
ADDRESS		o GIFT
		o SENT
EMAIL		o RECEIVED

NAME		o CARD
ADDRESS		o GIFT
		o SENT
EMAIL		o RECEIVED

NAME		o CARD
ADDRESS		o GIFT
		o SENT
EMAIL		o RECEIVED

NAME		o CARD
ADDRESS		o GIFT
		o SENT
EMAIL		o RECEIVED

NAME		o CARD
ADDRESS		o GIFT
		o SENT
EMAIL		o RECEIVED

NAME		o CARD
ADDRESS		o GIFT
		o SENT
EMAIL		o RECEIVED

NAME		o CARD
ADDRESS		o GIFT
		o SENT
EMAIL		o RECEIVED

Greeting Card Address List

O GREETING CARDS	O ENVELOPES	O POSTAGE STAMPS	O ADDRESS LABELS	O ENVELOPE SEALS

NAME		o CARD
ADDRESS		o GIFT
		o SENT
EMAIL		o RECEIVED

NAME		o CARD
ADDRESS		o GIFT
		o SENT
EMAIL		o RECEIVED

NAME		o CARD
ADDRESS		o GIFT
		o SENT
EMAIL		o RECEIVED

NAME		o CARD
ADDRESS		o GIFT
		o SENT
EMAIL		o RECEIVED

NAME		o CARD
ADDRESS		o GIFT
		o SENT
EMAIL		o RECEIVED

NAME		o CARD
ADDRESS		o GIFT
		o SENT
EMAIL		o RECEIVED

NAME		o CARD
ADDRESS		o GIFT
		o SENT
EMAIL		o RECEIVED

Greeting Card Address List

O GREETING CARDS	O ENVELOPES	O POSTAGE STAMPS	O ADDRESS LABELS	O ENVELOPE SEALS

NAME		o CARD
ADDRESS		o GIFT
		o SENT
EMAIL		o RECEIVED

NAME		o CARD
ADDRESS		o GIFT
		o SENT
EMAIL		o RECEIVED

NAME		o CARD
ADDRESS		o GIFT
		o SENT
EMAIL		o RECEIVED

NAME		o CARD
ADDRESS		o GIFT
		o SENT
EMAIL		o RECEIVED

NAME		o CARD
ADDRESS		o GIFT
		o SENT
EMAIL		o RECEIVED

NAME		o CARD
ADDRESS		o GIFT
		o SENT
EMAIL		o RECEIVED

NAME		o CARD
ADDRESS		o GIFT
		o SENT
EMAIL		o RECEIVED

Greeting Card Address List

O GREETING CARDS	O ENVELOPES	O POSTAGE STAMPS	O ADDRESS LABELS	O ENVELOPE SEALS

NAME		o CARD
ADDRESS		o GIFT
		o SENT
EMAIL		o RECEIVED

NAME		o CARD
ADDRESS		o GIFT
		o SENT
EMAIL		o RECEIVED

NAME		o CARD
ADDRESS		o GIFT
		o SENT
EMAIL		o RECEIVED

NAME		o CARD
ADDRESS		o GIFT
		o SENT
EMAIL		o RECEIVED

NAME		o CARD
ADDRESS		o GIFT
		o SENT
EMAIL		o RECEIVED

NAME		o CARD
ADDRESS		o GIFT
		o SENT
EMAIL		o RECEIVED

NAME		o CARD
ADDRESS		o GIFT
		o SENT
EMAIL		o RECEIVED

Greeting Card Address List

O GREETING CARDS	O ENVELOPES	O POSTAGE STAMPS	O ADDRESS LABELS	O ENVELOPE SEALS

NAME		o CARD
ADDRESS		o GIFT
		o SENT
EMAIL		o RECEIVED

NAME		o CARD
ADDRESS		o GIFT
		o SENT
EMAIL		o RECEIVED

NAME		o CARD
ADDRESS		o GIFT
		o SENT
EMAIL		o RECEIVED

NAME		o CARD
ADDRESS		o GIFT
		o SENT
EMAIL		o RECEIVED

NAME		o CARD
ADDRESS		o GIFT
		o SENT
EMAIL		o RECEIVED

NAME		o CARD
ADDRESS		o GIFT
		o SENT
EMAIL		o RECEIVED

NAME		o CARD
ADDRESS		o GIFT
		o SENT
EMAIL		o RECEIVED

Greeting Card Address List

O GREETING CARDS	O ENVELOPES	O POSTAGE STAMPS	O ADDRESS LABELS	O ENVELOPE SEALS

NAME		o CARD
ADDRESS		o GIFT
		o SENT
EMAIL		o RECEIVED

NAME		o CARD
ADDRESS		o GIFT
		o SENT
EMAIL		o RECEIVED

NAME		o CARD
ADDRESS		o GIFT
		o SENT
EMAIL		o RECEIVED

NAME		o CARD
ADDRESS		o GIFT
		o SENT
EMAIL		o RECEIVED

NAME		o CARD
ADDRESS		o GIFT
		o SENT
EMAIL		o RECEIVED

NAME		o CARD
ADDRESS		o GIFT
		o SENT
EMAIL		o RECEIVED

NAME		o CARD
ADDRESS		o GIFT
		o SENT
EMAIL		o RECEIVED

Greeting Card Address List

O GREETING CARDS	O ENVELOPES	O POSTAGE STAMPS	O ADDRESS LABELS	O ENVELOPE SEALS

NAME		o CARD
ADDRESS		o GIFT
		o SENT
EMAIL		o RECEIVED

NAME		o CARD
ADDRESS		o GIFT
		o SENT
EMAIL		o RECEIVED

NAME		o CARD
ADDRESS		o GIFT
		o SENT
EMAIL		o RECEIVED

NAME		o CARD
ADDRESS		o GIFT
		o SENT
EMAIL		o RECEIVED

NAME		o CARD
ADDRESS		o GIFT
		o SENT
EMAIL		o RECEIVED

NAME		o CARD
ADDRESS		o GIFT
		o SENT
EMAIL		o RECEIVED

NAME		o CARD
ADDRESS		o GIFT
		o SENT
EMAIL		o RECEIVED

Greeting Card Address List

O GREETING CARDS	O ENVELOPES	O POSTAGE STAMPS	O ADDRESS LABELS	O ENVELOPE SEALS

NAME		o CARD
ADDRESS		o GIFT
		o SENT
EMAIL		o RECEIVED

NAME		o CARD
ADDRESS		o GIFT
		o SENT
EMAIL		o RECEIVED

NAME		o CARD
ADDRESS		o GIFT
		o SENT
EMAIL		o RECEIVED

NAME		o CARD
ADDRESS		o GIFT
		o SENT
EMAIL		o RECEIVED

NAME		o CARD
ADDRESS		o GIFT
		o SENT
EMAIL		o RECEIVED

NAME		o CARD
ADDRESS		o GIFT
		o SENT
EMAIL		o RECEIVED

NAME		o CARD
ADDRESS		o GIFT
		o SENT
EMAIL		o RECEIVED

Greeting Card Address List

O GREETING CARDS	O ENVELOPES	O POSTAGE STAMPS	O ADDRESS LABELS	O ENVELOPE SEALS

NAME		o CARD
ADDRESS		o GIFT
		o SENT
EMAIL		o RECEIVED

NAME		o CARD
ADDRESS		o GIFT
		o SENT
EMAIL		o RECEIVED

NAME		o CARD
ADDRESS		o GIFT
		o SENT
EMAIL		o RECEIVED

NAME		o CARD
ADDRESS		o GIFT
		o SENT
EMAIL		o RECEIVED

NAME		o CARD
ADDRESS		o GIFT
		o SENT
EMAIL		o RECEIVED

NAME		o CARD
ADDRESS		o GIFT
		o SENT
EMAIL		o RECEIVED

NAME		o CARD
ADDRESS		o GIFT
		o SENT
EMAIL		o RECEIVED

Greeting Card Address List

O GREETING CARDS	O ENVELOPES	O POSTAGE STAMPS	O ADDRESS LABELS	O ENVELOPE SEALS

NAME		o CARD
ADDRESS		o GIFT
		o SENT
EMAIL		o RECEIVED

NAME		o CARD
ADDRESS		o GIFT
		o SENT
EMAIL		o RECEIVED

NAME		o CARD
ADDRESS		o GIFT
		o SENT
EMAIL		o RECEIVED

NAME		o CARD
ADDRESS		o GIFT
		o SENT
EMAIL		o RECEIVED

NAME		o CARD
ADDRESS		o GIFT
		o SENT
EMAIL		o RECEIVED

NAME		o CARD
ADDRESS		o GIFT
		o SENT
EMAIL		o RECEIVED

NAME		o CARD
ADDRESS		o GIFT
		o SENT
EMAIL		o RECEIVED

Greeting Card Address List

O GREETING CARDS	O ENVELOPES	O POSTAGE STAMPS	O ADDRESS LABELS	O ENVELOPE SEALS

NAME		o CARD
ADDRESS		o GIFT
		o SENT
EMAIL		o RECEIVED

NAME		o CARD
ADDRESS		o GIFT
		o SENT
EMAIL		o RECEIVED

NAME		o CARD
ADDRESS		o GIFT
		o SENT
EMAIL		o RECEIVED

NAME		o CARD
ADDRESS		o GIFT
		o SENT
EMAIL		o RECEIVED

NAME		o CARD
ADDRESS		o GIFT
		o SENT
EMAIL		o RECEIVED

NAME		o CARD
ADDRESS		o GIFT
		o SENT
EMAIL		o RECEIVED

NAME		o CARD
ADDRESS		o GIFT
		o SENT
EMAIL		o RECEIVED

Greeting Card Address List

O GREETING CARDS	O ENVELOPES	O POSTAGE STAMPS	O ADDRESS LABELS	O ENVELOPE SEALS

NAME		o CARD
ADDRESS		o GIFT
		o SENT
EMAIL		o RECEIVED

NAME		o CARD
ADDRESS		o GIFT
		o SENT
EMAIL		o RECEIVED

NAME		o CARD
ADDRESS		o GIFT
		o SENT
EMAIL		o RECEIVED

NAME		o CARD
ADDRESS		o GIFT
		o SENT
EMAIL		o RECEIVED

NAME		o CARD
ADDRESS		o GIFT
		o SENT
EMAIL		o RECEIVED

NAME		o CARD
ADDRESS		o GIFT
		o SENT
EMAIL		o RECEIVED

NAME		o CARD
ADDRESS		o GIFT
		o SENT
EMAIL		o RECEIVED

Greeting Card Address List

O GREETING CARDS	O ENVELOPES	O POSTAGE STAMPS	O ADDRESS LABELS	O ENVELOPE SEALS

NAME		o CARD
ADDRESS		o GIFT
		o SENT
EMAIL		o RECEIVED

NAME		o CARD
ADDRESS		o GIFT
		o SENT
EMAIL		o RECEIVED

NAME		o CARD
ADDRESS		o GIFT
		o SENT
EMAIL		o RECEIVED

NAME		o CARD
ADDRESS		o GIFT
		o SENT
EMAIL		o RECEIVED

NAME		o CARD
ADDRESS		o GIFT
		o SENT
EMAIL		o RECEIVED

NAME		o CARD
ADDRESS		o GIFT
		o SENT
EMAIL		o RECEIVED

NAME		o CARD
ADDRESS		o GIFT
		o SENT
EMAIL		o RECEIVED

Greeting Card Address List

O GREETING CARDS	O ENVELOPES	O POSTAGE STAMPS	O ADDRESS LABELS	O ENVELOPE SEALS

NAME		o CARD
ADDRESS		o GIFT
		o SENT
EMAIL		o RECEIVED

NAME		o CARD
ADDRESS		o GIFT
		o SENT
EMAIL		o RECEIVED

NAME		o CARD
ADDRESS		o GIFT
		o SENT
EMAIL		o RECEIVED

NAME		o CARD
ADDRESS		o GIFT
		o SENT
EMAIL		o RECEIVED

NAME		o CARD
ADDRESS		o GIFT
		o SENT
EMAIL		o RECEIVED

NAME		o CARD
ADDRESS		o GIFT
		o SENT
EMAIL		o RECEIVED

NAME		o CARD
ADDRESS		o GIFT
		o SENT
EMAIL		o RECEIVED

Greeting Card Address List

O GREETING CARDS	O ENVELOPES	O POSTAGE STAMPS	O ADDRESS LABELS	O ENVELOPE SEALS

NAME		o CARD
ADDRESS		o GIFT
		o SENT
EMAIL		o RECEIVED

NAME		o CARD
ADDRESS		o GIFT
		o SENT
EMAIL		o RECEIVED

NAME		o CARD
ADDRESS		o GIFT
		o SENT
EMAIL		o RECEIVED

NAME		o CARD
ADDRESS		o GIFT
		o SENT
EMAIL		o RECEIVED

NAME		o CARD
ADDRESS		o GIFT
		o SENT
EMAIL		o RECEIVED

NAME		o CARD
ADDRESS		o GIFT
		o SENT
EMAIL		o RECEIVED

NAME		o CARD
ADDRESS		o GIFT
		o SENT
EMAIL		o RECEIVED

Greeting Card Address List

O GREETING CARDS	O ENVELOPES	O POSTAGE STAMPS	O ADDRESS LABELS	O ENVELOPE SEALS

NAME		o CARD
ADDRESS		o GIFT
		o SENT
EMAIL		o RECEIVED

NAME		o CARD
ADDRESS		o GIFT
		o SENT
EMAIL		o RECEIVED

NAME		o CARD
ADDRESS		o GIFT
		o SENT
EMAIL		o RECEIVED

NAME		o CARD
ADDRESS		o GIFT
		o SENT
EMAIL		o RECEIVED

NAME		o CARD
ADDRESS		o GIFT
		o SENT
EMAIL		o RECEIVED

NAME		o CARD
ADDRESS		o GIFT
		o SENT
EMAIL		o RECEIVED

NAME		o CARD
ADDRESS		o GIFT
		o SENT
EMAIL		o RECEIVED

Greeting Card Address List

O GREETING CARDS	O ENVELOPES	O POSTAGE STAMPS	O ADDRESS LABELS	O ENVELOPE SEALS

NAME		o CARD
ADDRESS		o GIFT
		o SENT
EMAIL		o RECEIVED

NAME		o CARD
ADDRESS		o GIFT
		o SENT
EMAIL		o RECEIVED

NAME		o CARD
ADDRESS		o GIFT
		o SENT
EMAIL		o RECEIVED

NAME		o CARD
ADDRESS		o GIFT
		o SENT
EMAIL		o RECEIVED

NAME		o CARD
ADDRESS		o GIFT
		o SENT
EMAIL		o RECEIVED

NAME		o CARD
ADDRESS		o GIFT
		o SENT
EMAIL		o RECEIVED

NAME		o CARD
ADDRESS		o GIFT
		o SENT
EMAIL		o RECEIVED

Greeting Card Address List

O GREETING CARDS	O ENVELOPES	O POSTAGE STAMPS	O ADDRESS LABELS	O ENVELOPE SEALS

NAME		o CARD
ADDRESS		o GIFT
		o SENT
EMAIL		o RECEIVED

NAME		o CARD
ADDRESS		o GIFT
		o SENT
EMAIL		o RECEIVED

NAME		o CARD
ADDRESS		o GIFT
		o SENT
EMAIL		o RECEIVED

NAME		o CARD
ADDRESS		o GIFT
		o SENT
EMAIL		o RECEIVED

NAME		o CARD
ADDRESS		o GIFT
		o SENT
EMAIL		o RECEIVED

NAME		o CARD
ADDRESS		o GIFT
		o SENT
EMAIL		o RECEIVED

NAME		o CARD
ADDRESS		o GIFT
		o SENT
EMAIL		o RECEIVED

Greeting Card Address List

O GREETING CARDS	O ENVELOPES	O POSTAGE STAMPS	O ADDRESS LABELS	O ENVELOPE SEALS

NAME		o CARD
ADDRESS		o GIFT
		o SENT
EMAIL		o RECEIVED

NAME		o CARD
ADDRESS		o GIFT
		o SENT
EMAIL		o RECEIVED

NAME		o CARD
ADDRESS		o GIFT
		o SENT
EMAIL		o RECEIVED

NAME		o CARD
ADDRESS		o GIFT
		o SENT
EMAIL		o RECEIVED

NAME		o CARD
ADDRESS		o GIFT
		o SENT
EMAIL		o RECEIVED

NAME		o CARD
ADDRESS		o GIFT
		o SENT
EMAIL		o RECEIVED

NAME		o CARD
ADDRESS		o GIFT
		o SENT
EMAIL		o RECEIVED

Greeting Card Address List

O GREETING CARDS	O ENVELOPES	O POSTAGE STAMPS	O ADDRESS LABELS	O ENVELOPE SEALS

NAME		o CARD
ADDRESS		o GIFT
		o SENT
EMAIL		o RECEIVED

NAME		o CARD
ADDRESS		o GIFT
		o SENT
EMAIL		o RECEIVED

NAME		o CARD
ADDRESS		o GIFT
		o SENT
EMAIL		o RECEIVED

NAME		o CARD
ADDRESS		o GIFT
		o SENT
EMAIL		o RECEIVED

NAME		o CARD
ADDRESS		o GIFT
		o SENT
EMAIL		o RECEIVED

NAME		o CARD
ADDRESS		o GIFT
		o SENT
EMAIL		o RECEIVED

NAME		o CARD
ADDRESS		o GIFT
		o SENT
EMAIL		o RECEIVED

Greeting Card Address List

O GREETING CARDS	O ENVELOPES	O POSTAGE STAMPS	O ADDRESS LABELS	O ENVELOPE SEALS

NAME		o CARD
ADDRESS		o GIFT
		o SENT
EMAIL		o RECEIVED

NAME		o CARD
ADDRESS		o GIFT
		o SENT
EMAIL		o RECEIVED

NAME		o CARD
ADDRESS		o GIFT
		o SENT
EMAIL		o RECEIVED

NAME		o CARD
ADDRESS		o GIFT
		o SENT
EMAIL		o RECEIVED

NAME		o CARD
ADDRESS		o GIFT
		o SENT
EMAIL		o RECEIVED

NAME		o CARD
ADDRESS		o GIFT
		o SENT
EMAIL		o RECEIVED

NAME		o CARD
ADDRESS		o GIFT
		o SENT
EMAIL		o RECEIVED

Greeting Card Address List

O GREETING CARDS	O ENVELOPES	O POSTAGE STAMPS	O ADDRESS LABELS	O ENVELOPE SEALS

NAME		o CARD
ADDRESS		o GIFT
		o SENT
EMAIL		o RECEIVED

NAME		o CARD
ADDRESS		o GIFT
		o SENT
EMAIL		o RECEIVED

NAME		o CARD
ADDRESS		o GIFT
		o SENT
EMAIL		o RECEIVED

NAME		o CARD
ADDRESS		o GIFT
		o SENT
EMAIL		o RECEIVED

NAME		o CARD
ADDRESS		o GIFT
		o SENT
EMAIL		o RECEIVED

NAME		o CARD
ADDRESS		o GIFT
		o SENT
EMAIL		o RECEIVED

NAME		o CARD
ADDRESS		o GIFT
		o SENT
EMAIL		o RECEIVED

Greeting Card Address List

O GREETING CARDS	O ENVELOPES	O POSTAGE STAMPS	O ADDRESS LABELS	O ENVELOPE SEALS

NAME		o CARD
ADDRESS		o GIFT
		o SENT
EMAIL		o RECEIVED

NAME		o CARD
ADDRESS		o GIFT
		o SENT
EMAIL		o RECEIVED

NAME		o CARD
ADDRESS		o GIFT
		o SENT
EMAIL		o RECEIVED

NAME		o CARD
ADDRESS		o GIFT
		o SENT
EMAIL		o RECEIVED

NAME		o CARD
ADDRESS		o GIFT
		o SENT
EMAIL		o RECEIVED

NAME		o CARD
ADDRESS		o GIFT
		o SENT
EMAIL		o RECEIVED

NAME		o CARD
ADDRESS		o GIFT
		o SENT
EMAIL		o RECEIVED

Greeting Card Address List

O GREETING CARDS	O ENVELOPES	O POSTAGE STAMPS	O ADDRESS LABELS	O ENVELOPE SEALS

NAME		o CARD
ADDRESS		o GIFT
		o SENT
EMAIL		o RECEIVED

NAME		o CARD
ADDRESS		o GIFT
		o SENT
EMAIL		o RECEIVED

NAME		o CARD
ADDRESS		o GIFT
		o SENT
EMAIL		o RECEIVED

NAME		o CARD
ADDRESS		o GIFT
		o SENT
EMAIL		o RECEIVED

NAME		o CARD
ADDRESS		o GIFT
		o SENT
EMAIL		o RECEIVED

NAME		o CARD
ADDRESS		o GIFT
		o SENT
EMAIL		o RECEIVED

NAME		o CARD
ADDRESS		o GIFT
		o SENT
EMAIL		o RECEIVED

Greeting Card Address List

O GREETING CARDS	O ENVELOPES	O POSTAGE STAMPS	O ADDRESS LABELS	O ENVELOPE SEALS

NAME		o CARD
ADDRESS		o GIFT
		o SENT
EMAIL		o RECEIVED

NAME		o CARD
ADDRESS		o GIFT
		o SENT
EMAIL		o RECEIVED

NAME		o CARD
ADDRESS		o GIFT
		o SENT
EMAIL		o RECEIVED

NAME		o CARD
ADDRESS		o GIFT
		o SENT
EMAIL		o RECEIVED

NAME		o CARD
ADDRESS		o GIFT
		o SENT
EMAIL		o RECEIVED

NAME		o CARD
ADDRESS		o GIFT
		o SENT
EMAIL		o RECEIVED

NAME		o CARD
ADDRESS		o GIFT
		o SENT
EMAIL		o RECEIVED

Greeting Card Address List

O GREETING CARDS	O ENVELOPES	O POSTAGE STAMPS	O ADDRESS LABELS	O ENVELOPE SEALS

NAME		o CARD
ADDRESS		o GIFT
		o SENT
EMAIL		o RECEIVED

NAME		o CARD
ADDRESS		o GIFT
		o SENT
EMAIL		o RECEIVED

NAME		o CARD
ADDRESS		o GIFT
		o SENT
EMAIL		o RECEIVED

NAME		o CARD
ADDRESS		o GIFT
		o SENT
EMAIL		o RECEIVED

NAME		o CARD
ADDRESS		o GIFT
		o SENT
EMAIL		o RECEIVED

NAME		o CARD
ADDRESS		o GIFT
		o SENT
EMAIL		o RECEIVED

NAME		o CARD
ADDRESS		o GIFT
		o SENT
EMAIL		o RECEIVED

Greeting Card Address List

O GREETING CARDS	O ENVELOPES	O POSTAGE STAMPS	O ADDRESS LABELS	O ENVELOPE SEALS

NAME		o CARD
ADDRESS		o GIFT
		o SENT
EMAIL		o RECEIVED

NAME		o CARD
ADDRESS		o GIFT
		o SENT
EMAIL		o RECEIVED

NAME		o CARD
ADDRESS		o GIFT
		o SENT
EMAIL		o RECEIVED

NAME		o CARD
ADDRESS		o GIFT
		o SENT
EMAIL		o RECEIVED

NAME		o CARD
ADDRESS		o GIFT
		o SENT
EMAIL		o RECEIVED

NAME		o CARD
ADDRESS		o GIFT
		o SENT
EMAIL		o RECEIVED

NAME		o CARD
ADDRESS		o GIFT
		o SENT
EMAIL		o RECEIVED

Greeting Card Address List

O GREETING CARDS	O ENVELOPES	O POSTAGE STAMPS	O ADDRESS LABELS	O ENVELOPE SEALS

NAME		o CARD
ADDRESS		o GIFT
		o SENT
EMAIL		o RECEIVED

NAME		o CARD
ADDRESS		o GIFT
		o SENT
EMAIL		o RECEIVED

NAME		o CARD
ADDRESS		o GIFT
		o SENT
EMAIL		o RECEIVED

NAME		o CARD
ADDRESS		o GIFT
		o SENT
EMAIL		o RECEIVED

NAME		o CARD
ADDRESS		o GIFT
		o SENT
EMAIL		o RECEIVED

NAME		o CARD
ADDRESS		o GIFT
		o SENT
EMAIL		o RECEIVED

NAME		o CARD
ADDRESS		o GIFT
		o SENT
EMAIL		o RECEIVED

Greeting Card Address List

O GREETING CARDS	O ENVELOPES	O POSTAGE STAMPS	O ADDRESS LABELS	O ENVELOPE SEALS

NAME		o CARD
ADDRESS		o GIFT
		o SENT
EMAIL		o RECEIVED

NAME		o CARD
ADDRESS		o GIFT
		o SENT
EMAIL		o RECEIVED

NAME		o CARD
ADDRESS		o GIFT
		o SENT
EMAIL		o RECEIVED

NAME		o CARD
ADDRESS		o GIFT
		o SENT
EMAIL		o RECEIVED

NAME		o CARD
ADDRESS		o GIFT
		o SENT
EMAIL		o RECEIVED

NAME		o CARD
ADDRESS		o GIFT
		o SENT
EMAIL		o RECEIVED

NAME		o CARD
ADDRESS		o GIFT
		o SENT
EMAIL		o RECEIVED

Greeting Card Address List

O GREETING CARDS	O ENVELOPES	O POSTAGE STAMPS	O ADDRESS LABELS	O ENVELOPE SEALS

NAME		o CARD
ADDRESS		o GIFT
		o SENT
EMAIL		o RECEIVED

NAME		o CARD
ADDRESS		o GIFT
		o SENT
EMAIL		o RECEIVED

NAME		o CARD
ADDRESS		o GIFT
		o SENT
EMAIL		o RECEIVED

NAME		o CARD
ADDRESS		o GIFT
		o SENT
EMAIL		o RECEIVED

NAME		o CARD
ADDRESS		o GIFT
		o SENT
EMAIL		o RECEIVED

NAME		o CARD
ADDRESS		o GIFT
		o SENT
EMAIL		o RECEIVED

NAME		o CARD
ADDRESS		o GIFT
		o SENT
EMAIL		o RECEIVED

Greeting Card Address List

O GREETING CARDS	O ENVELOPES	O POSTAGE STAMPS	O ADDRESS LABELS	O ENVELOPE SEALS

NAME		o CARD
ADDRESS		o GIFT
		o SENT
EMAIL		o RECEIVED

NAME		o CARD
ADDRESS		o GIFT
		o SENT
EMAIL		o RECEIVED

NAME		o CARD
ADDRESS		o GIFT
		o SENT
EMAIL		o RECEIVED

NAME		o CARD
ADDRESS		o GIFT
		o SENT
EMAIL		o RECEIVED

NAME		o CARD
ADDRESS		o GIFT
		o SENT
EMAIL		o RECEIVED

NAME		o CARD
ADDRESS		o GIFT
		o SENT
EMAIL		o RECEIVED

NAME		o CARD
ADDRESS		o GIFT
		o SENT
EMAIL		o RECEIVED

Greeting Card Address List

O GREETING CARDS	O ENVELOPES	O POSTAGE STAMPS	O ADDRESS LABELS	O ENVELOPE SEALS

NAME		o CARD
ADDRESS		o GIFT
		o SENT
EMAIL		o RECEIVED

NAME		o CARD
ADDRESS		o GIFT
		o SENT
EMAIL		o RECEIVED

NAME		o CARD
ADDRESS		o GIFT
		o SENT
EMAIL		o RECEIVED

NAME		o CARD
ADDRESS		o GIFT
		o SENT
EMAIL		o RECEIVED

NAME		o CARD
ADDRESS		o GIFT
		o SENT
EMAIL		o RECEIVED

NAME		o CARD
ADDRESS		o GIFT
		o SENT
EMAIL		o RECEIVED

NAME		o CARD
ADDRESS		o GIFT
		o SENT
EMAIL		o RECEIVED

Greeting Card Address List

O GREETING CARDS	O ENVELOPES	O POSTAGE STAMPS	O ADDRESS LABELS	O ENVELOPE SEALS

NAME		o CARD
ADDRESS		o GIFT
		o SENT
EMAIL		o RECEIVED

NAME		o CARD
ADDRESS		o GIFT
		o SENT
EMAIL		o RECEIVED

NAME		o CARD
ADDRESS		o GIFT
		o SENT
EMAIL		o RECEIVED

NAME		o CARD
ADDRESS		o GIFT
		o SENT
EMAIL		o RECEIVED

NAME		o CARD
ADDRESS		o GIFT
		o SENT
EMAIL		o RECEIVED

NAME		o CARD
ADDRESS		o GIFT
		o SENT
EMAIL		o RECEIVED

NAME		o CARD
ADDRESS		o GIFT
		o SENT
EMAIL		o RECEIVED

Greeting Card Address List

O GREETING CARDS	O ENVELOPES	O POSTAGE STAMPS	O ADDRESS LABELS	O ENVELOPE SEALS

NAME		o CARD
ADDRESS		o GIFT
		o SENT
EMAIL		o RECEIVED

NAME		o CARD
ADDRESS		o GIFT
		o SENT
EMAIL		o RECEIVED

NAME		o CARD
ADDRESS		o GIFT
		o SENT
EMAIL		o RECEIVED

NAME		o CARD
ADDRESS		o GIFT
		o SENT
EMAIL		o RECEIVED

NAME		o CARD
ADDRESS		o GIFT
		o SENT
EMAIL		o RECEIVED

NAME		o CARD
ADDRESS		o GIFT
		o SENT
EMAIL		o RECEIVED

NAME		o CARD
ADDRESS		o GIFT
		o SENT
EMAIL		o RECEIVED

Greeting Card Address List

O GREETING CARDS	O ENVELOPES	O POSTAGE STAMPS	O ADDRESS LABELS	O ENVELOPE SEALS

NAME		o CARD
ADDRESS		o GIFT
		o SENT
EMAIL		o RECEIVED

NAME		o CARD
ADDRESS		o GIFT
		o SENT
EMAIL		o RECEIVED

NAME		o CARD
ADDRESS		o GIFT
		o SENT
EMAIL		o RECEIVED

NAME		o CARD
ADDRESS		o GIFT
		o SENT
EMAIL		o RECEIVED

NAME		o CARD
ADDRESS		o GIFT
		o SENT
EMAIL		o RECEIVED

NAME		o CARD
ADDRESS		o GIFT
		o SENT
EMAIL		o RECEIVED

NAME		o CARD
ADDRESS		o GIFT
		o SENT
EMAIL		o RECEIVED

Greeting Card Address List

o GREETING CARDS	o ENVELOPES	o POSTAGE STAMPS	o ADDRESS LABELS	o ENVELOPE SEALS

NAME		o CARD
ADDRESS		o GIFT
		o SENT
EMAIL		o RECEIVED

NAME		o CARD
ADDRESS		o GIFT
		o SENT
EMAIL		o RECEIVED

NAME		o CARD
ADDRESS		o GIFT
		o SENT
EMAIL		o RECEIVED

NAME		o CARD
ADDRESS		o GIFT
		o SENT
EMAIL		o RECEIVED

NAME		o CARD
ADDRESS		o GIFT
		o SENT
EMAIL		o RECEIVED

NAME		o CARD
ADDRESS		o GIFT
		o SENT
EMAIL		o RECEIVED

NAME		o CARD
ADDRESS		o GIFT
		o SENT
EMAIL		o RECEIVED

Greeting Card Address List

O GREETING CARDS	O ENVELOPES	O POSTAGE STAMPS	O ADDRESS LABELS	O ENVELOPE SEALS

NAME		o CARD
ADDRESS		o GIFT
		o SENT
EMAIL		o RECEIVED

NAME		o CARD
ADDRESS		o GIFT
		o SENT
EMAIL		o RECEIVED

NAME		o CARD
ADDRESS		o GIFT
		o SENT
EMAIL		o RECEIVED

NAME		o CARD
ADDRESS		o GIFT
		o SENT
EMAIL		o RECEIVED

NAME		o CARD
ADDRESS		o GIFT
		o SENT
EMAIL		o RECEIVED

NAME		o CARD
ADDRESS		o GIFT
		o SENT
EMAIL		o RECEIVED

NAME		o CARD
ADDRESS		o GIFT
		o SENT
EMAIL		o RECEIVED

Greeting Card Address List

O GREETING CARDS	O ENVELOPES	O POSTAGE STAMPS	O ADDRESS LABELS	O ENVELOPE SEALS

NAME		o CARD
ADDRESS		o GIFT
		o SENT
EMAIL		o RECEIVED

NAME		o CARD
ADDRESS		o GIFT
		o SENT
EMAIL		o RECEIVED

NAME		o CARD
ADDRESS		o GIFT
		o SENT
EMAIL		o RECEIVED

NAME		o CARD
ADDRESS		o GIFT
		o SENT
EMAIL		o RECEIVED

NAME		o CARD
ADDRESS		o GIFT
		o SENT
EMAIL		o RECEIVED

NAME		o CARD
ADDRESS		o GIFT
		o SENT
EMAIL		o RECEIVED

NAME		o CARD
ADDRESS		o GIFT
		o SENT
EMAIL		o RECEIVED

Greeting Card Address List

O GREETING CARDS	O ENVELOPES	O POSTAGE STAMPS	O ADDRESS LABELS	O ENVELOPE SEALS

NAME		o CARD
ADDRESS		o GIFT
		o SENT
EMAIL		o RECEIVED

NAME		o CARD
ADDRESS		o GIFT
		o SENT
EMAIL		o RECEIVED

NAME		o CARD
ADDRESS		o GIFT
		o SENT
EMAIL		o RECEIVED

NAME		o CARD
ADDRESS		o GIFT
		o SENT
EMAIL		o RECEIVED

NAME		o CARD
ADDRESS		o GIFT
		o SENT
EMAIL		o RECEIVED

NAME		o CARD
ADDRESS		o GIFT
		o SENT
EMAIL		o RECEIVED

NAME		o CARD
ADDRESS		o GIFT
		o SENT
EMAIL		o RECEIVED

Greeting Card Address List

O GREETING CARDS	O ENVELOPES	O POSTAGE STAMPS	O ADDRESS LABELS	O ENVELOPE SEALS

NAME		o CARD
ADDRESS		o GIFT
		o SENT
EMAIL		o RECEIVED

NAME		o CARD
ADDRESS		o GIFT
		o SENT
EMAIL		o RECEIVED

NAME		o CARD
ADDRESS		o GIFT
		o SENT
EMAIL		o RECEIVED

NAME		o CARD
ADDRESS		o GIFT
		o SENT
EMAIL		o RECEIVED

NAME		o CARD
ADDRESS		o GIFT
		o SENT
EMAIL		o RECEIVED

NAME		o CARD
ADDRESS		o GIFT
		o SENT
EMAIL		o RECEIVED

NAME		o CARD
ADDRESS		o GIFT
		o SENT
EMAIL		o RECEIVED

Greeting Card Address List

O GREETING CARDS	O ENVELOPES	O POSTAGE STAMPS	O ADDRESS LABELS	O ENVELOPE SEALS

NAME		o CARD
ADDRESS		o GIFT
		o SENT
EMAIL		o RECEIVED

NAME		o CARD
ADDRESS		o GIFT
		o SENT
EMAIL		o RECEIVED

NAME		o CARD
ADDRESS		o GIFT
		o SENT
EMAIL		o RECEIVED

NAME		o CARD
ADDRESS		o GIFT
		o SENT
EMAIL		o RECEIVED

NAME		o CARD
ADDRESS		o GIFT
		o SENT
EMAIL		o RECEIVED

NAME		o CARD
ADDRESS		o GIFT
		o SENT
EMAIL		o RECEIVED

NAME		o CARD
ADDRESS		o GIFT
		o SENT
EMAIL		o RECEIVED

Greeting Card Address List

O GREETING CARDS	O ENVELOPES	O POSTAGE STAMPS	O ADDRESS LABELS	O ENVELOPE SEALS

NAME		o CARD
ADDRESS		o GIFT
		o SENT
EMAIL		o RECEIVED

NAME		o CARD
ADDRESS		o GIFT
		o SENT
EMAIL		o RECEIVED

NAME		o CARD
ADDRESS		o GIFT
		o SENT
EMAIL		o RECEIVED

NAME		o CARD
ADDRESS		o GIFT
		o SENT
EMAIL		o RECEIVED

NAME		o CARD
ADDRESS		o GIFT
		o SENT
EMAIL		o RECEIVED

NAME		o CARD
ADDRESS		o GIFT
		o SENT
EMAIL		o RECEIVED

NAME		o CARD
ADDRESS		o GIFT
		o SENT
EMAIL		o RECEIVED

Greeting Card Address List

O GREETING CARDS	O ENVELOPES	O POSTAGE STAMPS	O ADDRESS LABELS	O ENVELOPE SEALS

NAME		o CARD
ADDRESS		o GIFT
		o SENT
EMAIL		o RECEIVED

NAME		o CARD
ADDRESS		o GIFT
		o SENT
EMAIL		o RECEIVED

NAME		o CARD
ADDRESS		o GIFT
		o SENT
EMAIL		o RECEIVED

NAME		o CARD
ADDRESS		o GIFT
		o SENT
EMAIL		o RECEIVED

NAME		o CARD
ADDRESS		o GIFT
		o SENT
EMAIL		o RECEIVED

NAME		o CARD
ADDRESS		o GIFT
		o SENT
EMAIL		o RECEIVED

NAME		o CARD
ADDRESS		o GIFT
		o SENT
EMAIL		o RECEIVED

Greeting Card Address List

O GREETING CARDS	O ENVELOPES	O POSTAGE STAMPS	O ADDRESS LABELS	O ENVELOPE SEALS

NAME		o CARD
ADDRESS		o GIFT
		o SENT
EMAIL		o RECEIVED

NAME		o CARD
ADDRESS		o GIFT
		o SENT
EMAIL		o RECEIVED

NAME		o CARD
ADDRESS		o GIFT
		o SENT
EMAIL		o RECEIVED

NAME		o CARD
ADDRESS		o GIFT
		o SENT
EMAIL		o RECEIVED

NAME		o CARD
ADDRESS		o GIFT
		o SENT
EMAIL		o RECEIVED

NAME		o CARD
ADDRESS		o GIFT
		o SENT
EMAIL		o RECEIVED

NAME		o CARD
ADDRESS		o GIFT
		o SENT
EMAIL		o RECEIVED

Greeting Card Address List

O GREETING CARDS	O ENVELOPES	O POSTAGE STAMPS	O ADDRESS LABELS	O ENVELOPE SEALS

NAME		o CARD
ADDRESS		o GIFT
		o SENT
EMAIL		o RECEIVED

NAME		o CARD
ADDRESS		o GIFT
		o SENT
EMAIL		o RECEIVED

NAME		o CARD
ADDRESS		o GIFT
		o SENT
EMAIL		o RECEIVED

NAME		o CARD
ADDRESS		o GIFT
		o SENT
EMAIL		o RECEIVED

NAME		o CARD
ADDRESS		o GIFT
		o SENT
EMAIL		o RECEIVED

NAME		o CARD
ADDRESS		o GIFT
		o SENT
EMAIL		o RECEIVED

NAME		o CARD
ADDRESS		o GIFT
		o SENT
EMAIL		o RECEIVED

Greeting Card Address List

o GREETING CARDS	o ENVELOPES	o POSTAGE STAMPS	o ADDRESS LABELS	o ENVELOPE SEALS

NAME		o CARD
ADDRESS		o GIFT
		o SENT
EMAIL		o RECEIVED

NAME		o CARD
ADDRESS		o GIFT
		o SENT
EMAIL		o RECEIVED

NAME		o CARD
ADDRESS		o GIFT
		o SENT
EMAIL		o RECEIVED

NAME		o CARD
ADDRESS		o GIFT
		o SENT
EMAIL		o RECEIVED

NAME		o CARD
ADDRESS		o GIFT
		o SENT
EMAIL		o RECEIVED

NAME		o CARD
ADDRESS		o GIFT
		o SENT
EMAIL		o RECEIVED

NAME		o CARD
ADDRESS		o GIFT
		o SENT
EMAIL		o RECEIVED

Greeting Card Address List

O GREETING CARDS	O ENVELOPES	O POSTAGE STAMPS	O ADDRESS LABELS	O ENVELOPE SEALS

NAME		o CARD
ADDRESS		o GIFT
		o SENT
EMAIL		o RECEIVED

NAME		o CARD
ADDRESS		o GIFT
		o SENT
EMAIL		o RECEIVED

NAME		o CARD
ADDRESS		o GIFT
		o SENT
EMAIL		o RECEIVED

NAME		o CARD
ADDRESS		o GIFT
		o SENT
EMAIL		o RECEIVED

NAME		o CARD
ADDRESS		o GIFT
		o SENT
EMAIL		o RECEIVED

NAME		o CARD
ADDRESS		o GIFT
		o SENT
EMAIL		o RECEIVED

NAME		o CARD
ADDRESS		o GIFT
		o SENT
EMAIL		o RECEIVED

Greeting Card Address List

O GREETING CARDS	O ENVELOPES	O POSTAGE STAMPS	O ADDRESS LABELS	O ENVELOPE SEALS

NAME		o CARD
ADDRESS		o GIFT
		o SENT
EMAIL		o RECEIVED

NAME		o CARD
ADDRESS		o GIFT
		o SENT
EMAIL		o RECEIVED

NAME		o CARD
ADDRESS		o GIFT
		o SENT
EMAIL		o RECEIVED

NAME		o CARD
ADDRESS		o GIFT
		o SENT
EMAIL		o RECEIVED

NAME		o CARD
ADDRESS		o GIFT
		o SENT
EMAIL		o RECEIVED

NAME		o CARD
ADDRESS		o GIFT
		o SENT
EMAIL		o RECEIVED

NAME		o CARD
ADDRESS		o GIFT
		o SENT
EMAIL		o RECEIVED

Greeting Card Address List

O GREETING CARDS	O ENVELOPES	O POSTAGE STAMPS	O ADDRESS LABELS	O ENVELOPE SEALS

NAME		o CARD
ADDRESS		o GIFT
		o SENT
EMAIL		o RECEIVED

NAME		o CARD
ADDRESS		o GIFT
		o SENT
EMAIL		o RECEIVED

NAME		o CARD
ADDRESS		o GIFT
		o SENT
EMAIL		o RECEIVED

NAME		o CARD
ADDRESS		o GIFT
		o SENT
EMAIL		o RECEIVED

NAME		o CARD
ADDRESS		o GIFT
		o SENT
EMAIL		o RECEIVED

NAME		o CARD
ADDRESS		o GIFT
		o SENT
EMAIL		o RECEIVED

NAME		o CARD
ADDRESS		o GIFT
		o SENT
EMAIL		o RECEIVED

Greeting Card Address List

O GREETING CARDS	O ENVELOPES	O POSTAGE STAMPS	O ADDRESS LABELS	O ENVELOPE SEALS

NAME		o CARD
ADDRESS		o GIFT
		o SENT
EMAIL		o RECEIVED

NAME		o CARD
ADDRESS		o GIFT
		o SENT
EMAIL		o RECEIVED

NAME		o CARD
ADDRESS		o GIFT
		o SENT
EMAIL		o RECEIVED

NAME		o CARD
ADDRESS		o GIFT
		o SENT
EMAIL		o RECEIVED

NAME		o CARD
ADDRESS		o GIFT
		o SENT
EMAIL		o RECEIVED

NAME		o CARD
ADDRESS		o GIFT
		o SENT
EMAIL		o RECEIVED

NAME		o CARD
ADDRESS		o GIFT
		o SENT
EMAIL		o RECEIVED

Greeting Card Address List

O GREETING CARDS	O ENVELOPES	O POSTAGE STAMPS	O ADDRESS LABELS	O ENVELOPE SEALS

NAME		o CARD
ADDRESS		o GIFT
		o SENT
EMAIL		o RECEIVED

NAME		o CARD
ADDRESS		o GIFT
		o SENT
EMAIL		o RECEIVED

NAME		o CARD
ADDRESS		o GIFT
		o SENT
EMAIL		o RECEIVED

NAME		o CARD
ADDRESS		o GIFT
		o SENT
EMAIL		o RECEIVED

NAME		o CARD
ADDRESS		o GIFT
		o SENT
EMAIL		o RECEIVED

NAME		o CARD
ADDRESS		o GIFT
		o SENT
EMAIL		o RECEIVED

NAME		o CARD
ADDRESS		o GIFT
		o SENT
EMAIL		o RECEIVED

Greeting Card Address List

O GREETING CARDS	O ENVELOPES	O POSTAGE STAMPS	O ADDRESS LABELS	O ENVELOPE SEALS

NAME		o CARD
ADDRESS		o GIFT
		o SENT
EMAIL		o RECEIVED

NAME		o CARD
ADDRESS		o GIFT
		o SENT
EMAIL		o RECEIVED

NAME		o CARD
ADDRESS		o GIFT
		o SENT
EMAIL		o RECEIVED

NAME		o CARD
ADDRESS		o GIFT
		o SENT
EMAIL		o RECEIVED

NAME		o CARD
ADDRESS		o GIFT
		o SENT
EMAIL		o RECEIVED

NAME		o CARD
ADDRESS		o GIFT
		o SENT
EMAIL		o RECEIVED

NAME		o CARD
ADDRESS		o GIFT
		o SENT
EMAIL		o RECEIVED

Greeting Card Address List

O GREETING CARDS	O ENVELOPES	O POSTAGE STAMPS	O ADDRESS LABELS	O ENVELOPE SEALS

NAME		o CARD
ADDRESS		o GIFT
		o SENT
EMAIL		o RECEIVED

NAME		o CARD
ADDRESS		o GIFT
		o SENT
EMAIL		o RECEIVED

NAME		o CARD
ADDRESS		o GIFT
		o SENT
EMAIL		o RECEIVED

NAME		o CARD
ADDRESS		o GIFT
		o SENT
EMAIL		o RECEIVED

NAME		o CARD
ADDRESS		o GIFT
		o SENT
EMAIL		o RECEIVED

NAME		o CARD
ADDRESS		o GIFT
		o SENT
EMAIL		o RECEIVED

NAME		o CARD
ADDRESS		o GIFT
		o SENT
EMAIL		o RECEIVED

Greeting Card Address List

O GREETING CARDS	O ENVELOPES	O POSTAGE STAMPS	O ADDRESS LABELS	O ENVELOPE SEALS

NAME		o CARD
ADDRESS		o GIFT
		o SENT
EMAIL		o RECEIVED

NAME		o CARD
ADDRESS		o GIFT
		o SENT
EMAIL		o RECEIVED

NAME		o CARD
ADDRESS		o GIFT
		o SENT
EMAIL		o RECEIVED

NAME		o CARD
ADDRESS		o GIFT
		o SENT
EMAIL		o RECEIVED

NAME		o CARD
ADDRESS		o GIFT
		o SENT
EMAIL		o RECEIVED

NAME		o CARD
ADDRESS		o GIFT
		o SENT
EMAIL		o RECEIVED

NAME		o CARD
ADDRESS		o GIFT
		o SENT
EMAIL		o RECEIVED

Greeting Card Address List

O GREETING CARDS	O ENVELOPES	O POSTAGE STAMPS	O ADDRESS LABELS	O ENVELOPE SEALS

NAME		o CARD
ADDRESS		o GIFT
		o SENT
EMAIL		o RECEIVED

NAME		o CARD
ADDRESS		o GIFT
		o SENT
EMAIL		o RECEIVED

NAME		o CARD
ADDRESS		o GIFT
		o SENT
EMAIL		o RECEIVED

NAME		o CARD
ADDRESS		o GIFT
		o SENT
EMAIL		o RECEIVED

NAME		o CARD
ADDRESS		o GIFT
		o SENT
EMAIL		o RECEIVED

NAME		o CARD
ADDRESS		o GIFT
		o SENT
EMAIL		o RECEIVED

NAME		o CARD
ADDRESS		o GIFT
		o SENT
EMAIL		o RECEIVED

Greeting Card Address List

O GREETING CARDS	O ENVELOPES	O POSTAGE STAMPS	O ADDRESS LABELS	O ENVELOPE SEALS

NAME		o CARD
ADDRESS		o GIFT
		o SENT
EMAIL		o RECEIVED

NAME		o CARD
ADDRESS		o GIFT
		o SENT
EMAIL		o RECEIVED

NAME		o CARD
ADDRESS		o GIFT
		o SENT
EMAIL		o RECEIVED

NAME		o CARD
ADDRESS		o GIFT
		o SENT
EMAIL		o RECEIVED

NAME		o CARD
ADDRESS		o GIFT
		o SENT
EMAIL		o RECEIVED

NAME		o CARD
ADDRESS		o GIFT
		o SENT
EMAIL		o RECEIVED

NAME		o CARD
ADDRESS		o GIFT
		o SENT
EMAIL		o RECEIVED

Greeting Card Address List

O GREETING CARDS	O ENVELOPES	O POSTAGE STAMPS	O ADDRESS LABELS	O ENVELOPE SEALS

NAME		o CARD
ADDRESS		o GIFT
		o SENT
EMAIL		o RECEIVED

NAME		o CARD
ADDRESS		o GIFT
		o SENT
EMAIL		o RECEIVED

NAME		o CARD
ADDRESS		o GIFT
		o SENT
EMAIL		o RECEIVED

NAME		o CARD
ADDRESS		o GIFT
		o SENT
EMAIL		o RECEIVED

NAME		o CARD
ADDRESS		o GIFT
		o SENT
EMAIL		o RECEIVED

NAME		o CARD
ADDRESS		o GIFT
		o SENT
EMAIL		o RECEIVED

NAME		o CARD
ADDRESS		o GIFT
		o SENT
EMAIL		o RECEIVED

Greeting Card Address List

O GREETING CARDS	O ENVELOPES	O POSTAGE STAMPS	O ADDRESS LABELS	O ENVELOPE SEALS

NAME		o CARD
ADDRESS		o GIFT
		o SENT
EMAIL		o RECEIVED

NAME		o CARD
ADDRESS		o GIFT
		o SENT
EMAIL		o RECEIVED

NAME		o CARD
ADDRESS		o GIFT
		o SENT
EMAIL		o RECEIVED

NAME		o CARD
ADDRESS		o GIFT
		o SENT
EMAIL		o RECEIVED

NAME		o CARD
ADDRESS		o GIFT
		o SENT
EMAIL		o RECEIVED

NAME		o CARD
ADDRESS		o GIFT
		o SENT
EMAIL		o RECEIVED

NAME		o CARD
ADDRESS		o GIFT
		o SENT
EMAIL		o RECEIVED

Greeting Card Address List

O GREETING CARDS	O ENVELOPES	O POSTAGE STAMPS	O ADDRESS LABELS	O ENVELOPE SEALS

NAME		o CARD
ADDRESS		o GIFT
		o SENT
EMAIL		o RECEIVED

NAME		o CARD
ADDRESS		o GIFT
		o SENT
EMAIL		o RECEIVED

NAME		o CARD
ADDRESS		o GIFT
		o SENT
EMAIL		o RECEIVED

NAME		o CARD
ADDRESS		o GIFT
		o SENT
EMAIL		o RECEIVED

NAME		o CARD
ADDRESS		o GIFT
		o SENT
EMAIL		o RECEIVED

NAME		o CARD
ADDRESS		o GIFT
		o SENT
EMAIL		o RECEIVED

NAME		o CARD
ADDRESS		o GIFT
		o SENT
EMAIL		o RECEIVED

Greeting Card Address List

O GREETING CARDS	O ENVELOPES	O POSTAGE STAMPS	O ADDRESS LABELS	O ENVELOPE SEALS

NAME		o CARD
ADDRESS		o GIFT
		o SENT
EMAIL		o RECEIVED

NAME		o CARD
ADDRESS		o GIFT
		o SENT
EMAIL		o RECEIVED

NAME		o CARD
ADDRESS		o GIFT
		o SENT
EMAIL		o RECEIVED

NAME		o CARD
ADDRESS		o GIFT
		o SENT
EMAIL		o RECEIVED

NAME		o CARD
ADDRESS		o GIFT
		o SENT
EMAIL		o RECEIVED

NAME		o CARD
ADDRESS		o GIFT
		o SENT
EMAIL		o RECEIVED

NAME		o CARD
ADDRESS		o GIFT
		o SENT
EMAIL		o RECEIVED

Greeting Card Address List

O GREETING CARDS	O ENVELOPES	O POSTAGE STAMPS	O ADDRESS LABELS	O ENVELOPE SEALS

NAME		o CARD
ADDRESS		o GIFT
		o SENT
EMAIL		o RECEIVED

NAME		o CARD
ADDRESS		o GIFT
		o SENT
EMAIL		o RECEIVED

NAME		o CARD
ADDRESS		o GIFT
		o SENT
EMAIL		o RECEIVED

NAME		o CARD
ADDRESS		o GIFT
		o SENT
EMAIL		o RECEIVED

NAME		o CARD
ADDRESS		o GIFT
		o SENT
EMAIL		o RECEIVED

NAME		o CARD
ADDRESS		o GIFT
		o SENT
EMAIL		o RECEIVED

NAME		o CARD
ADDRESS		o GIFT
		o SENT
EMAIL		o RECEIVED

Greeting Card Address List

O GREETING CARDS	O ENVELOPES	O POSTAGE STAMPS	O ADDRESS LABELS	O ENVELOPE SEALS

NAME		o CARD
ADDRESS		o GIFT
		o SENT
EMAIL		o RECEIVED

NAME		o CARD
ADDRESS		o GIFT
		o SENT
EMAIL		o RECEIVED

NAME		o CARD
ADDRESS		o GIFT
		o SENT
EMAIL		o RECEIVED

NAME		o CARD
ADDRESS		o GIFT
		o SENT
EMAIL		o RECEIVED

NAME		o CARD
ADDRESS		o GIFT
		o SENT
EMAIL		o RECEIVED

NAME		o CARD
ADDRESS		o GIFT
		o SENT
EMAIL		o RECEIVED

NAME		o CARD
ADDRESS		o GIFT
		o SENT
EMAIL		o RECEIVED

Greeting Card Address List

O GREETING CARDS	O ENVELOPES	O POSTAGE STAMPS	O ADDRESS LABELS	O ENVELOPE SEALS

NAME		o CARD
ADDRESS		o GIFT
		o SENT
EMAIL		o RECEIVED

NAME		o CARD
ADDRESS		o GIFT
		o SENT
EMAIL		o RECEIVED

NAME		o CARD
ADDRESS		o GIFT
		o SENT
EMAIL		o RECEIVED

NAME		o CARD
ADDRESS		o GIFT
		o SENT
EMAIL		o RECEIVED

NAME		o CARD
ADDRESS		o GIFT
		o SENT
EMAIL		o RECEIVED

NAME		o CARD
ADDRESS		o GIFT
		o SENT
EMAIL		o RECEIVED

NAME		o CARD
ADDRESS		o GIFT
		o SENT
EMAIL		o RECEIVED

Greeting Card Address List

O GREETING CARDS	O ENVELOPES	O POSTAGE STAMPS	O ADDRESS LABELS	O ENVELOPE SEALS

NAME		o CARD
ADDRESS		o GIFT
		o SENT
EMAIL		o RECEIVED

NAME		o CARD
ADDRESS		o GIFT
		o SENT
EMAIL		o RECEIVED

NAME		o CARD
ADDRESS		o GIFT
		o SENT
EMAIL		o RECEIVED

NAME		o CARD
ADDRESS		o GIFT
		o SENT
EMAIL		o RECEIVED

NAME		o CARD
ADDRESS		o GIFT
		o SENT
EMAIL		o RECEIVED

NAME		o CARD
ADDRESS		o GIFT
		o SENT
EMAIL		o RECEIVED

NAME		o CARD
ADDRESS		o GIFT
		o SENT
EMAIL		o RECEIVED

Greeting Card Address List

O GREETING CARDS	O ENVELOPES	O POSTAGE STAMPS	O ADDRESS LABELS	O ENVELOPE SEALS

NAME		o CARD
ADDRESS		o GIFT
		o SENT
EMAIL		o RECEIVED

NAME		o CARD
ADDRESS		o GIFT
		o SENT
EMAIL		o RECEIVED

NAME		o CARD
ADDRESS		o GIFT
		o SENT
EMAIL		o RECEIVED

NAME		o CARD
ADDRESS		o GIFT
		o SENT
EMAIL		o RECEIVED

NAME		o CARD
ADDRESS		o GIFT
		o SENT
EMAIL		o RECEIVED

NAME		o CARD
ADDRESS		o GIFT
		o SENT
EMAIL		o RECEIVED

NAME		o CARD
ADDRESS		o GIFT
		o SENT
EMAIL		o RECEIVED

Greeting Card Address List

O GREETING CARDS	O ENVELOPES	O POSTAGE STAMPS	O ADDRESS LABELS	O ENVELOPE SEALS

NAME		o CARD
ADDRESS		o GIFT
		o SENT
EMAIL		o RECEIVED

NAME		o CARD
ADDRESS		o GIFT
		o SENT
EMAIL		o RECEIVED

NAME		o CARD
ADDRESS		o GIFT
		o SENT
EMAIL		o RECEIVED

NAME		o CARD
ADDRESS		o GIFT
		o SENT
EMAIL		o RECEIVED

NAME		o CARD
ADDRESS		o GIFT
		o SENT
EMAIL		o RECEIVED

NAME		o CARD
ADDRESS		o GIFT
		o SENT
EMAIL		o RECEIVED

NAME		o CARD
ADDRESS		o GIFT
		o SENT
EMAIL		o RECEIVED

Greeting Card Address List

O GREETING CARDS	O ENVELOPES	O POSTAGE STAMPS	O ADDRESS LABELS	O ENVELOPE SEALS

NAME		o CARD
ADDRESS		o GIFT
		o SENT
EMAIL		o RECEIVED

NAME		o CARD
ADDRESS		o GIFT
		o SENT
EMAIL		o RECEIVED

NAME		o CARD
ADDRESS		o GIFT
		o SENT
EMAIL		o RECEIVED

NAME		o CARD
ADDRESS		o GIFT
		o SENT
EMAIL		o RECEIVED

NAME		o CARD
ADDRESS		o GIFT
		o SENT
EMAIL		o RECEIVED

NAME		o CARD
ADDRESS		o GIFT
		o SENT
EMAIL		o RECEIVED

NAME		o CARD
ADDRESS		o GIFT
		o SENT
EMAIL		o RECEIVED

Greeting Card Address List

O GREETING CARDS	O ENVELOPES	O POSTAGE STAMPS	O ADDRESS LABELS	O ENVELOPE SEALS

NAME		o CARD
ADDRESS		o GIFT
		o SENT
EMAIL		o RECEIVED

NAME		o CARD
ADDRESS		o GIFT
		o SENT
EMAIL		o RECEIVED

NAME		o CARD
ADDRESS		o GIFT
		o SENT
EMAIL		o RECEIVED

NAME		o CARD
ADDRESS		o GIFT
		o SENT
EMAIL		o RECEIVED

NAME		o CARD
ADDRESS		o GIFT
		o SENT
EMAIL		o RECEIVED

NAME		o CARD
ADDRESS		o GIFT
		o SENT
EMAIL		o RECEIVED

NAME		o CARD
ADDRESS		o GIFT
		o SENT
EMAIL		o RECEIVED

Greeting Card Address List

O GREETING CARDS	O ENVELOPES	O POSTAGE STAMPS	O ADDRESS LABELS	O ENVELOPE SEALS

NAME		o CARD
ADDRESS		o GIFT
		o SENT
EMAIL		o RECEIVED

NAME		o CARD
ADDRESS		o GIFT
		o SENT
EMAIL		o RECEIVED

NAME		o CARD
ADDRESS		o GIFT
		o SENT
EMAIL		o RECEIVED

NAME		o CARD
ADDRESS		o GIFT
		o SENT
EMAIL		o RECEIVED

NAME		o CARD
ADDRESS		o GIFT
		o SENT
EMAIL		o RECEIVED

NAME		o CARD
ADDRESS		o GIFT
		o SENT
EMAIL		o RECEIVED

NAME		o CARD
ADDRESS		o GIFT
		o SENT
EMAIL		o RECEIVED

Greeting Card Address List

O GREETING CARDS	O ENVELOPES	O POSTAGE STAMPS	O ADDRESS LABELS	O ENVELOPE SEALS

NAME		o CARD
ADDRESS		o GIFT
		o SENT
EMAIL		o RECEIVED

NAME		o CARD
ADDRESS		o GIFT
		o SENT
EMAIL		o RECEIVED

NAME		o CARD
ADDRESS		o GIFT
		o SENT
EMAIL		o RECEIVED

NAME		o CARD
ADDRESS		o GIFT
		o SENT
EMAIL		o RECEIVED

NAME		o CARD
ADDRESS		o GIFT
		o SENT
EMAIL		o RECEIVED

NAME		o CARD
ADDRESS		o GIFT
		o SENT
EMAIL		o RECEIVED

NAME		o CARD
ADDRESS		o GIFT
		o SENT
EMAIL		o RECEIVED

Greeting Card Address List

O GREETING CARDS	O ENVELOPES	O POSTAGE STAMPS	O ADDRESS LABELS	O ENVELOPE SEALS

NAME		o CARD
ADDRESS		o GIFT
		o SENT
EMAIL		o RECEIVED

NAME		o CARD
ADDRESS		o GIFT
		o SENT
EMAIL		o RECEIVED

NAME		o CARD
ADDRESS		o GIFT
		o SENT
EMAIL		o RECEIVED

NAME		o CARD
ADDRESS		o GIFT
		o SENT
EMAIL		o RECEIVED

NAME		o CARD
ADDRESS		o GIFT
		o SENT
EMAIL		o RECEIVED

NAME		o CARD
ADDRESS		o GIFT
		o SENT
EMAIL		o RECEIVED

NAME		o CARD
ADDRESS		o GIFT
		o SENT
EMAIL		o RECEIVED

Greeting Card Address List

O GREETING CARDS	O ENVELOPES	O POSTAGE STAMPS	O ADDRESS LABELS	O ENVELOPE SEALS

NAME		o CARD
ADDRESS		o GIFT
		o SENT
EMAIL		o RECEIVED

NAME		o CARD
ADDRESS		o GIFT
		o SENT
EMAIL		o RECEIVED

NAME		o CARD
ADDRESS		o GIFT
		o SENT
EMAIL		o RECEIVED

NAME		o CARD
ADDRESS		o GIFT
		o SENT
EMAIL		o RECEIVED

NAME		o CARD
ADDRESS		o GIFT
		o SENT
EMAIL		o RECEIVED

NAME		o CARD
ADDRESS		o GIFT
		o SENT
EMAIL		o RECEIVED

NAME		o CARD
ADDRESS		o GIFT
		o SENT
EMAIL		o RECEIVED

Greeting Card Address List

O GREETING CARDS	O ENVELOPES	O POSTAGE STAMPS	O ADDRESS LABELS	O ENVELOPE SEALS

NAME		o CARD
ADDRESS		o GIFT
		o SENT
EMAIL		o RECEIVED

NAME		o CARD
ADDRESS		o GIFT
		o SENT
EMAIL		o RECEIVED

NAME		o CARD
ADDRESS		o GIFT
		o SENT
EMAIL		o RECEIVED

NAME		o CARD
ADDRESS		o GIFT
		o SENT
EMAIL		o RECEIVED

NAME		o CARD
ADDRESS		o GIFT
		o SENT
EMAIL		o RECEIVED

NAME		o CARD
ADDRESS		o GIFT
		o SENT
EMAIL		o RECEIVED

NAME		o CARD
ADDRESS		o GIFT
		o SENT
EMAIL		o RECEIVED

Greeting Card Address List

o GREETING CARDS	o ENVELOPES	o POSTAGE STAMPS	o ADDRESS LABELS	o ENVELOPE SEALS

NAME		o CARD
ADDRESS		o GIFT
		o SENT
EMAIL		o RECEIVED

NAME		o CARD
ADDRESS		o GIFT
		o SENT
EMAIL		o RECEIVED

NAME		o CARD
ADDRESS		o GIFT
		o SENT
EMAIL		o RECEIVED

NAME		o CARD
ADDRESS		o GIFT
		o SENT
EMAIL		o RECEIVED

NAME		o CARD
ADDRESS		o GIFT
		o SENT
EMAIL		o RECEIVED

NAME		o CARD
ADDRESS		o GIFT
		o SENT
EMAIL		o RECEIVED

NAME		o CARD
ADDRESS		o GIFT
		o SENT
EMAIL		o RECEIVED

Greeting Card Address List

O GREETING CARDS	O ENVELOPES	O POSTAGE STAMPS	O ADDRESS LABELS	O ENVELOPE SEALS

NAME		o CARD
ADDRESS		o GIFT
		o SENT
EMAIL		o RECEIVED

NAME		o CARD
ADDRESS		o GIFT
		o SENT
EMAIL		o RECEIVED

NAME		o CARD
ADDRESS		o GIFT
		o SENT
EMAIL		o RECEIVED

NAME		o CARD
ADDRESS		o GIFT
		o SENT
EMAIL		o RECEIVED

NAME		o CARD
ADDRESS		o GIFT
		o SENT
EMAIL		o RECEIVED

NAME		o CARD
ADDRESS		o GIFT
		o SENT
EMAIL		o RECEIVED

NAME		o CARD
ADDRESS		o GIFT
		o SENT
EMAIL		o RECEIVED

Greeting Card Address List

O GREETING CARDS	O ENVELOPES	O POSTAGE STAMPS	O ADDRESS LABELS	O ENVELOPE SEALS

NAME		o CARD
ADDRESS		o GIFT
		o SENT
EMAIL		o RECEIVED

NAME		o CARD
ADDRESS		o GIFT
		o SENT
EMAIL		o RECEIVED

NAME		o CARD
ADDRESS		o GIFT
		o SENT
EMAIL		o RECEIVED

NAME		o CARD
ADDRESS		o GIFT
		o SENT
EMAIL		o RECEIVED

NAME		o CARD
ADDRESS		o GIFT
		o SENT
EMAIL		o RECEIVED

NAME		o CARD
ADDRESS		o GIFT
		o SENT
EMAIL		o RECEIVED

NAME		o CARD
ADDRESS		o GIFT
		o SENT
EMAIL		o RECEIVED

Greeting Card Address List

O GREETING CARDS	O ENVELOPES	O POSTAGE STAMPS	O ADDRESS LABELS	O ENVELOPE SEALS

NAME		o CARD
ADDRESS		o GIFT
		o SENT
EMAIL		o RECEIVED

NAME		o CARD
ADDRESS		o GIFT
		o SENT
EMAIL		o RECEIVED

NAME		o CARD
ADDRESS		o GIFT
		o SENT
EMAIL		o RECEIVED

NAME		o CARD
ADDRESS		o GIFT
		o SENT
EMAIL		o RECEIVED

NAME		o CARD
ADDRESS		o GIFT
		o SENT
EMAIL		o RECEIVED

NAME		o CARD
ADDRESS		o GIFT
		o SENT
EMAIL		o RECEIVED

NAME		o CARD
ADDRESS		o GIFT
		o SENT
EMAIL		o RECEIVED

Greeting Card Address List

O GREETING CARDS	O ENVELOPES	O POSTAGE STAMPS	O ADDRESS LABELS	O ENVELOPE SEALS

NAME		o CARD
ADDRESS		o GIFT
		o SENT
EMAIL		o RECEIVED

NAME		o CARD
ADDRESS		o GIFT
		o SENT
EMAIL		o RECEIVED

NAME		o CARD
ADDRESS		o GIFT
		o SENT
EMAIL		o RECEIVED

NAME		o CARD
ADDRESS		o GIFT
		o SENT
EMAIL		o RECEIVED

NAME		o CARD
ADDRESS		o GIFT
		o SENT
EMAIL		o RECEIVED

NAME		o CARD
ADDRESS		o GIFT
		o SENT
EMAIL		o RECEIVED

NAME		o CARD
ADDRESS		o GIFT
		o SENT
EMAIL		o RECEIVED

Greeting Card Address List

O GREETING CARDS	O ENVELOPES	O POSTAGE STAMPS	O ADDRESS LABELS	O ENVELOPE SEALS

NAME		o CARD
ADDRESS		o GIFT
		o SENT
EMAIL		o RECEIVED

NAME		o CARD
ADDRESS		o GIFT
		o SENT
EMAIL		o RECEIVED

NAME		o CARD
ADDRESS		o GIFT
		o SENT
EMAIL		o RECEIVED

NAME		o CARD
ADDRESS		o GIFT
		o SENT
EMAIL		o RECEIVED

NAME		o CARD
ADDRESS		o GIFT
		o SENT
EMAIL		o RECEIVED

NAME		o CARD
ADDRESS		o GIFT
		o SENT
EMAIL		o RECEIVED

NAME		o CARD
ADDRESS		o GIFT
		o SENT
EMAIL		o RECEIVED

Greeting Card Address List

O GREETING CARDS	O ENVELOPES	O POSTAGE STAMPS	O ADDRESS LABELS	O ENVELOPE SEALS

NAME		o CARD
ADDRESS		o GIFT
		o SENT
EMAIL		o RECEIVED

NAME		o CARD
ADDRESS		o GIFT
		o SENT
EMAIL		o RECEIVED

NAME		o CARD
ADDRESS		o GIFT
		o SENT
EMAIL		o RECEIVED

NAME		o CARD
ADDRESS		o GIFT
		o SENT
EMAIL		o RECEIVED

NAME		o CARD
ADDRESS		o GIFT
		o SENT
EMAIL		o RECEIVED

NAME		o CARD
ADDRESS		o GIFT
		o SENT
EMAIL		o RECEIVED

NAME		o CARD
ADDRESS		o GIFT
		o SENT
EMAIL		o RECEIVED

Greeting Card Address List

O GREETING CARDS	O ENVELOPES	O POSTAGE STAMPS	O ADDRESS LABELS	O ENVELOPE SEALS

NAME		o CARD
ADDRESS		o GIFT
		o SENT
EMAIL		o RECEIVED

NAME		o CARD
ADDRESS		o GIFT
		o SENT
EMAIL		o RECEIVED

NAME		o CARD
ADDRESS		o GIFT
		o SENT
EMAIL		o RECEIVED

NAME		o CARD
ADDRESS		o GIFT
		o SENT
EMAIL		o RECEIVED

NAME		o CARD
ADDRESS		o GIFT
		o SENT
EMAIL		o RECEIVED

NAME		o CARD
ADDRESS		o GIFT
		o SENT
EMAIL		o RECEIVED

NAME		o CARD
ADDRESS		o GIFT
		o SENT
EMAIL		o RECEIVED

Greeting Card Address List

O GREETING CARDS	O ENVELOPES	O POSTAGE STAMPS	O ADDRESS LABELS	O ENVELOPE SEALS

NAME		o CARD
ADDRESS		o GIFT
		o SENT
EMAIL		o RECEIVED

NAME		o CARD
ADDRESS		o GIFT
		o SENT
EMAIL		o RECEIVED

NAME		o CARD
ADDRESS		o GIFT
		o SENT
EMAIL		o RECEIVED

NAME		o CARD
ADDRESS		o GIFT
		o SENT
EMAIL		o RECEIVED

NAME		o CARD
ADDRESS		o GIFT
		o SENT
EMAIL		o RECEIVED

NAME		o CARD
ADDRESS		o GIFT
		o SENT
EMAIL		o RECEIVED

NAME		o CARD
ADDRESS		o GIFT
		o SENT
EMAIL		o RECEIVED

Greeting Card Address List

O GREETING CARDS	O ENVELOPES	O POSTAGE STAMPS	O ADDRESS LABELS	O ENVELOPE SEALS

NAME		o CARD
ADDRESS		o GIFT
		o SENT
EMAIL		o RECEIVED

NAME		o CARD
ADDRESS		o GIFT
		o SENT
EMAIL		o RECEIVED

NAME		o CARD
ADDRESS		o GIFT
		o SENT
EMAIL		o RECEIVED

NAME		o CARD
ADDRESS		o GIFT
		o SENT
EMAIL		o RECEIVED

NAME		o CARD
ADDRESS		o GIFT
		o SENT
EMAIL		o RECEIVED

NAME		o CARD
ADDRESS		o GIFT
		o SENT
EMAIL		o RECEIVED

NAME		o CARD
ADDRESS		o GIFT
		o SENT
EMAIL		o RECEIVED

Greeting Card Address List

o GREETING CARDS	o ENVELOPES	o POSTAGE STAMPS	o ADDRESS LABELS	o ENVELOPE SEALS

NAME		o CARD
ADDRESS		o GIFT
		o SENT
EMAIL		o RECEIVED

NAME		o CARD
ADDRESS		o GIFT
		o SENT
EMAIL		o RECEIVED

NAME		o CARD
ADDRESS		o GIFT
		o SENT
EMAIL		o RECEIVED

NAME		o CARD
ADDRESS		o GIFT
		o SENT
EMAIL		o RECEIVED

NAME		o CARD
ADDRESS		o GIFT
		o SENT
EMAIL		o RECEIVED

NAME		o CARD
ADDRESS		o GIFT
		o SENT
EMAIL		o RECEIVED

NAME		o CARD
ADDRESS		o GIFT
		o SENT
EMAIL		o RECEIVED

Greeting Card Address List

O GREETING CARDS	O ENVELOPES	O POSTAGE STAMPS	O ADDRESS LABELS	O ENVELOPE SEALS

NAME		o CARD
ADDRESS		o GIFT
		o SENT
EMAIL		o RECEIVED

NAME		o CARD
ADDRESS		o GIFT
		o SENT
EMAIL		o RECEIVED

NAME		o CARD
ADDRESS		o GIFT
		o SENT
EMAIL		o RECEIVED

NAME		o CARD
ADDRESS		o GIFT
		o SENT
EMAIL		o RECEIVED

NAME		o CARD
ADDRESS		o GIFT
		o SENT
EMAIL		o RECEIVED

NAME		o CARD
ADDRESS		o GIFT
		o SENT
EMAIL		o RECEIVED

NAME		o CARD
ADDRESS		o GIFT
		o SENT
EMAIL		o RECEIVED

Greeting Card Address List

O GREETING CARDS	O ENVELOPES	O POSTAGE STAMPS	O ADDRESS LABELS	O ENVELOPE SEALS

NAME		o CARD
ADDRESS		o GIFT
		o SENT
EMAIL		o RECEIVED

NAME		o CARD
ADDRESS		o GIFT
		o SENT
EMAIL		o RECEIVED

NAME		o CARD
ADDRESS		o GIFT
		o SENT
EMAIL		o RECEIVED

NAME		o CARD
ADDRESS		o GIFT
		o SENT
EMAIL		o RECEIVED

NAME		o CARD
ADDRESS		o GIFT
		o SENT
EMAIL		o RECEIVED

NAME		o CARD
ADDRESS		o GIFT
		o SENT
EMAIL		o RECEIVED

NAME		o CARD
ADDRESS		o GIFT
		o SENT
EMAIL		o RECEIVED

Greeting Card Address List

O GREETING CARDS	O ENVELOPES	O POSTAGE STAMPS	O ADDRESS LABELS	O ENVELOPE SEALS

NAME		o CARD
ADDRESS		o GIFT
		o SENT
EMAIL		o RECEIVED

NAME		o CARD
ADDRESS		o GIFT
		o SENT
EMAIL		o RECEIVED

NAME		o CARD
ADDRESS		o GIFT
		o SENT
EMAIL		o RECEIVED

NAME		o CARD
ADDRESS		o GIFT
		o SENT
EMAIL		o RECEIVED

NAME		o CARD
ADDRESS		o GIFT
		o SENT
EMAIL		o RECEIVED

NAME		o CARD
ADDRESS		o GIFT
		o SENT
EMAIL		o RECEIVED

NAME		o CARD
ADDRESS		o GIFT
		o SENT
EMAIL		o RECEIVED

Greeting Card Address List

O GREETING CARDS	O ENVELOPES	O POSTAGE STAMPS	O ADDRESS LABELS	O ENVELOPE SEALS

NAME		o CARD
ADDRESS		o GIFT
		o SENT
EMAIL		o RECEIVED

NAME		o CARD
ADDRESS		o GIFT
		o SENT
EMAIL		o RECEIVED

NAME		o CARD
ADDRESS		o GIFT
		o SENT
EMAIL		o RECEIVED

NAME		o CARD
ADDRESS		o GIFT
		o SENT
EMAIL		o RECEIVED

NAME		o CARD
ADDRESS		o GIFT
		o SENT
EMAIL		o RECEIVED

NAME		o CARD
ADDRESS		o GIFT
		o SENT
EMAIL		o RECEIVED

NAME		o CARD
ADDRESS		o GIFT
		o SENT
EMAIL		o RECEIVED

Greeting Card Address List

o GREETING CARDS	o ENVELOPES	o POSTAGE STAMPS	o ADDRESS LABELS	o ENVELOPE SEALS

NAME		o CARD
ADDRESS		o GIFT
		o SENT
EMAIL		o RECEIVED

NAME		o CARD
ADDRESS		o GIFT
		o SENT
EMAIL		o RECEIVED

NAME		o CARD
ADDRESS		o GIFT
		o SENT
EMAIL		o RECEIVED

NAME		o CARD
ADDRESS		o GIFT
		o SENT
EMAIL		o RECEIVED

NAME		o CARD
ADDRESS		o GIFT
		o SENT
EMAIL		o RECEIVED

NAME		o CARD
ADDRESS		o GIFT
		o SENT
EMAIL		o RECEIVED

NAME		o CARD
ADDRESS		o GIFT
		o SENT
EMAIL		o RECEIVED

Greeting Card Address List

O GREETING CARDS	O ENVELOPES	O POSTAGE STAMPS	O ADDRESS LABELS	O ENVELOPE SEALS

NAME		o CARD
ADDRESS		o GIFT
		o SENT
EMAIL		o RECEIVED

NAME		o CARD
ADDRESS		o GIFT
		o SENT
EMAIL		o RECEIVED

NAME		o CARD
ADDRESS		o GIFT
		o SENT
EMAIL		o RECEIVED

NAME		o CARD
ADDRESS		o GIFT
		o SENT
EMAIL		o RECEIVED

NAME		o CARD
ADDRESS		o GIFT
		o SENT
EMAIL		o RECEIVED

NAME		o CARD
ADDRESS		o GIFT
		o SENT
EMAIL		o RECEIVED

NAME		o CARD
ADDRESS		o GIFT
		o SENT
EMAIL		o RECEIVED

Greeting Card Address List

O GREETING CARDS	O ENVELOPES	O POSTAGE STAMPS	O ADDRESS LABELS	O ENVELOPE SEALS

NAME		o CARD
ADDRESS		o GIFT
		o SENT
EMAIL		o RECEIVED

NAME		o CARD
ADDRESS		o GIFT
		o SENT
EMAIL		o RECEIVED

NAME		o CARD
ADDRESS		o GIFT
		o SENT
EMAIL		o RECEIVED

NAME		o CARD
ADDRESS		o GIFT
		o SENT
EMAIL		o RECEIVED

NAME		o CARD
ADDRESS		o GIFT
		o SENT
EMAIL		o RECEIVED

NAME		o CARD
ADDRESS		o GIFT
		o SENT
EMAIL		o RECEIVED

NAME		o CARD
ADDRESS		o GIFT
		o SENT
EMAIL		o RECEIVED

Greeting Card Address List

O GREETING CARDS	O ENVELOPES	O POSTAGE STAMPS	O ADDRESS LABELS	O ENVELOPE SEALS

NAME		o CARD
ADDRESS		o GIFT
		o SENT
EMAIL		o RECEIVED

NAME		o CARD
ADDRESS		o GIFT
		o SENT
EMAIL		o RECEIVED

NAME		o CARD
ADDRESS		o GIFT
		o SENT
EMAIL		o RECEIVED

NAME		o CARD
ADDRESS		o GIFT
		o SENT
EMAIL		o RECEIVED

NAME		o CARD
ADDRESS		o GIFT
		o SENT
EMAIL		o RECEIVED

NAME		o CARD
ADDRESS		o GIFT
		o SENT
EMAIL		o RECEIVED

NAME		o CARD
ADDRESS		o GIFT
		o SENT
EMAIL		o RECEIVED

Greeting Card Address List

O GREETING CARDS	O ENVELOPES	O POSTAGE STAMPS	O ADDRESS LABELS	O ENVELOPE SEALS

NAME		o CARD
ADDRESS		o GIFT
		o SENT
EMAIL		o RECEIVED

NAME		o CARD
ADDRESS		o GIFT
		o SENT
EMAIL		o RECEIVED

NAME		o CARD
ADDRESS		o GIFT
		o SENT
EMAIL		o RECEIVED

NAME		o CARD
ADDRESS		o GIFT
		o SENT
EMAIL		o RECEIVED

NAME		o CARD
ADDRESS		o GIFT
		o SENT
EMAIL		o RECEIVED

NAME		o CARD
ADDRESS		o GIFT
		o SENT
EMAIL		o RECEIVED

NAME		o CARD
ADDRESS		o GIFT
		o SENT
EMAIL		o RECEIVED

Greeting Card Address List

O GREETING CARDS	O ENVELOPES	O POSTAGE STAMPS	O ADDRESS LABELS	O ENVELOPE SEALS

NAME		o CARD
ADDRESS		o GIFT
		o SENT
EMAIL		o RECEIVED

NAME		o CARD
ADDRESS		o GIFT
		o SENT
EMAIL		o RECEIVED

NAME		o CARD
ADDRESS		o GIFT
		o SENT
EMAIL		o RECEIVED

NAME		o CARD
ADDRESS		o GIFT
		o SENT
EMAIL		o RECEIVED

NAME		o CARD
ADDRESS		o GIFT
		o SENT
EMAIL		o RECEIVED

NAME		o CARD
ADDRESS		o GIFT
		o SENT
EMAIL		o RECEIVED

NAME		o CARD
ADDRESS		o GIFT
		o SENT
EMAIL		o RECEIVED

Greeting Card Address List

O GREETING CARDS	O ENVELOPES	O POSTAGE STAMPS	O ADDRESS LABELS	O ENVELOPE SEALS

NAME		o CARD
ADDRESS		o GIFT
		o SENT
EMAIL		o RECEIVED

NAME		o CARD
ADDRESS		o GIFT
		o SENT
EMAIL		o RECEIVED

NAME		o CARD
ADDRESS		o GIFT
		o SENT
EMAIL		o RECEIVED

NAME		o CARD
ADDRESS		o GIFT
		o SENT
EMAIL		o RECEIVED

NAME		o CARD
ADDRESS		o GIFT
		o SENT
EMAIL		o RECEIVED

NAME		o CARD
ADDRESS		o GIFT
		o SENT
EMAIL		o RECEIVED

NAME		o CARD
ADDRESS		o GIFT
		o SENT
EMAIL		o RECEIVED

Greeting Card Address List

O GREETING CARDS	O ENVELOPES	O POSTAGE STAMPS	O ADDRESS LABELS	O ENVELOPE SEALS

NAME		o CARD
ADDRESS		o GIFT
		o SENT
EMAIL		o RECEIVED

NAME		o CARD
ADDRESS		o GIFT
		o SENT
EMAIL		o RECEIVED

NAME		o CARD
ADDRESS		o GIFT
		o SENT
EMAIL		o RECEIVED

NAME		o CARD
ADDRESS		o GIFT
		o SENT
EMAIL		o RECEIVED

NAME		o CARD
ADDRESS		o GIFT
		o SENT
EMAIL		o RECEIVED

NAME		o CARD
ADDRESS		o GIFT
		o SENT
EMAIL		o RECEIVED

NAME		o CARD
ADDRESS		o GIFT
		o SENT
EMAIL		o RECEIVED

Greeting Card Address List

O GREETING CARDS	O ENVELOPES	O POSTAGE STAMPS	O ADDRESS LABELS	O ENVELOPE SEALS

NAME		o CARD
ADDRESS		o GIFT
		o SENT
EMAIL		o RECEIVED

NAME		o CARD
ADDRESS		o GIFT
		o SENT
EMAIL		o RECEIVED

NAME		o CARD
ADDRESS		o GIFT
		o SENT
EMAIL		o RECEIVED

NAME		o CARD
ADDRESS		o GIFT
		o SENT
EMAIL		o RECEIVED

NAME		o CARD
ADDRESS		o GIFT
		o SENT
EMAIL		o RECEIVED

NAME		o CARD
ADDRESS		o GIFT
		o SENT
EMAIL		o RECEIVED

NAME		o CARD
ADDRESS		o GIFT
		o SENT
EMAIL		o RECEIVED

Greeting Card Address List

O GREETING CARDS	O ENVELOPES	O POSTAGE STAMPS	O ADDRESS LABELS	O ENVELOPE SEALS

NAME		o CARD
ADDRESS		o GIFT
		o SENT
EMAIL		o RECEIVED

NAME		o CARD
ADDRESS		o GIFT
		o SENT
EMAIL		o RECEIVED

NAME		o CARD
ADDRESS		o GIFT
		o SENT
EMAIL		o RECEIVED

NAME		o CARD
ADDRESS		o GIFT
		o SENT
EMAIL		o RECEIVED

NAME		o CARD
ADDRESS		o GIFT
		o SENT
EMAIL		o RECEIVED

NAME		o CARD
ADDRESS		o GIFT
		o SENT
EMAIL		o RECEIVED

NAME		o CARD
ADDRESS		o GIFT
		o SENT
EMAIL		o RECEIVED

Christmas Gift Checklist

NAME	GIFT	SENT	BUDGET	COST	TOTAL
		O			
		O			
		O			
		O			
		O			
		O			
		O			
		O			
		O			
		O			
		O			
		O			
		O			
		O			
		O			
		O			
		O			
		O			
		O			
		O			
		O			
		O			
		O			
		O			
		O			
		O			
		O			
		O			
		O			
TOTAL BUDGET				TOTAL COST	

Christmas Gift Checklist

NAME	GIFT	SENT	BUDGET	COST	TOTAL
		O			
		O			
		O			
		O			
		O			
		O			
		O			
		O			
		O			
		O			
		O			
		O			
		O			
		O			
		O			
		O			
		O			
		O			
		O			
		O			
		O			
		O			
		O			
		O			
		O			
		O			
		O			
		O			
		O			
TOTAL BUDGET				TOTAL COST	

Christmas Gift Checklist

NAME	GIFT	SENT	BUDGET	COST	TOTAL
		O			
		O			
		O			
		O			
		O			
		O			
		O			
		O			
		O			
		O			
		O			
		O			
		O			
		O			
		O			
		O			
		O			
		O			
		O			
		O			
		O			
		O			
		O			
		O			
		O			
		O			
		O			
		O			
		O			
TOTAL BUDGET				TOTAL COST	

Christmas Gift Checklist

NAME	GIFT	SENT	BUDGET	COST	TOTAL
		O			
		O			
		O			
		O			
		O			
		O			
		O			
		O			
		O			
		O			
		O			
		O			
		O			
		O			
		O			
		O			
		O			
		O			
		O			
		O			
		O			
		O			
		O			
		O			
		O			
		O			
		O			
		O			
		O			
TOTAL BUDGET				TOTAL COST	

Christmas Gift Checklist

NAME	GIFT	SENT	BUDGET	COST	TOTAL
		O			
		O			
		O			
		O			
		O			
		O			
		O			
		O			
		O			
		O			
		O			
		O			
		O			
		O			
		O			
		O			
		O			
		O			
		O			
		O			
		O			
		O			
		O			
		O			
		O			
		O			
		O			
		O			
		O			
TOTAL BUDGET				TOTAL COST	

Christmas Gift Checklist

NAME	GIFT	SENT	BUDGET	COST	TOTAL
		O			
		O			
		O			
		O			
		O			
		O			
		O			
		O			
		O			
		O			
		O			
		O			
		O			
		O			
		O			
		O			
		O			
		O			
		O			
		O			
		O			
		O			
		O			
		O			
		O			
		O			
		O			
		O			
		O			
TOTAL BUDGET				TOTAL COST	

Christmas Gift Checklist

NAME	GIFT	SENT	BUDGET	COST	TOTAL
		O			
		O			
		O			
		O			
		O			
		O			
		O			
		O			
		O			
		O			
		O			
		O			
		O			
		O			
		O			
		O			
		O			
		O			
		O			
		O			
		O			
		O			
		O			
		O			
		O			
		O			
		O			
		O			
		O			
TOTAL BUDGET				TOTAL COST	

CPSIA information can be obtained
at www.ICGtesting.com
Printed in the USA
LVHW052100011020
667643LV00005B/381

9 781953 557230